Bei diesem Geschenk wäre sogar
Loriot sprachlos!

Denn, lieber Opi, wir wollen dich
zu uns nach Mailand einladen!

Ein Wochenende lang zeigen wir Dir
unsere derzeitige Heimatstadt aus
allen kulturellen, kulinarischen und
unterhaltungsreichen Blickwinkeln.

Frohe Weihnachten, Opi!

Tim

Nico

Weihnachten mit
Loriot

Diogenes

INHALT

GESCHENKE,
DIE FREUDE MACHEN

» ... und schreiben Sie drauf: Erst Heiligabend öffnen!«

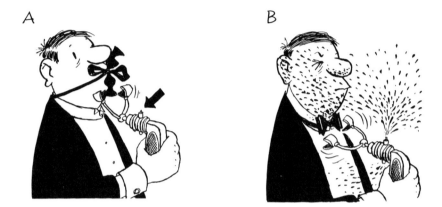

FÜR VATI

Der automatische Smokingschleifenbinder ›Lord‹ mit 0,5-PS-Motor und Fallstromvergaser (DM 148,50). Bei trockenem Schmiernippel (Pfeil) arbeitet das Gerät für hohe modische Anforderungen zu ungenau (A). Nach Betätigung der vorschriftsmäßig geschmierten Maschine sitzt die Schleife exakt, der hohe Verbrauch an Schmiermaterial macht jedoch die Anschaffung des Apparates unrentabel (B).

FÜR MUTTI

Die patentierte Schnelltrockenhaubenkombination der Firma Brammel (Aschaffenburg). Die Abbildungen zeigen die Testperson beim Einrollen des Haares auf Patentwickler (A), während des fünfzehnminütigen Verbleibens unter der Schnelltrockenhaube (B) und beim Abnehmen derselben (C). Obgleich die Locken sich als ungewöhnlich dauerhaft erweisen, kann die Haube nicht ohne Bedenken empfohlen werden.

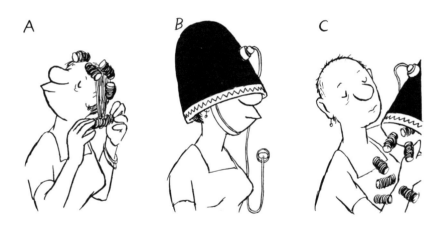

A B C

Herrschaften in exponierter Position schätzen das eigene Denkmal in Original Düsseldorfer Künstlergips als Geschenk von bleibendem Wert. Zur Anfertigung genügt ein Paßfoto 5,5 x 3,5 cm (besondere Kennzeichen, Orden, Größe, Alter und Geschlecht angeben). Ausführung mit Pferd DM 1600,-- (A), ohne Pferd DM 550,-- (B).

Kleine, selbstgearbeitete Geschenke sind, auch besonders unter Geschäftsleuten, ein erprobtes Mittel, herzliche Beziehungen zu festigen. Die untenstehende Auswahl mag einige Anregungen bieten:

1. Brieftasche und Portemonnaie, laubgesägt;
2. Pfeifenständer aus Backpflaumen;
3. Zigarettenkästchen aus Lebkuchen;
4. Ein gestricktes Streichholzschachtel-Etui zum Aufknöpfen.

1

2

3

4

Als Geschenk für anspruchsvolle Tierfreunde ist ein Wurf zentralafrikanischer Zwergelefanten zu empfehlen.

Die possierlichen Tierchen (A: 6 Wochen alt) hören schon nach acht Monaten auf zu wachsen und erreichen bei vorsichtiger Ernährung eine Schulterhöhe von nur 150 cm (B).

FESTLICHE VORBEREITUNG

ADVENT

Es blaut die Nacht, die Sternlein blinken,
Schneeflöcklein leis herniedersinken.
Auf Edeltännleins grünem Wipfel
häuft sich ein kleiner weißer Zipfel.
Und dort vom Fenster her durchbricht
den dunklen Tann ein warmes Licht.
Im Forsthaus kniet bei Kerzenschimmer
die Försterin im Herrenzimmer.
In dieser wunderschönen Nacht
hat sie den Förster umgebracht.
Er war ihr bei des Heimes Pflege
seit langer Zeit schon sehr im Wege.
So kam sie mit sich überein:
am Niklasabend muß es sein.
Und als das Rehlein ging zur Ruh',
das Häslein tat die Augen zu,
erlegte sie direkt von vorn
den Gatten über Kimm und Korn.
Vom Knall geweckt rümpft nur der Hase

zwei-, drei-, viermal die Schnuppernase
und ruhet weiter süß im Dunkeln,
derweil die Sternlein traulich funkeln.
Und in der guten Stube drinnen,
da läuft des Försters Blut von hinnen.
Nun muß die Försterin sich eilen,
den Gatten sauber zu zerteilen.
Schnell hat sie ihn bis auf die Knochen
nach Waidmanns Sitte aufgebrochen.
Voll Sorgfalt legt sie Glied auf Glied
(was der Gemahl bisher vermied),
behält ein Teil Filet zurück
als festtägliches Bratenstück
und packt zum Schluß, es geht auf vier,
die Reste in Geschenkpapier.
Da tönt's von fern wie Silberschellen,
im Dorfe hört man Hunde bellen.
Wer ist's, der in so tiefer Nacht
im Schnee noch seine Runde macht?
Knecht Ruprecht kommt mit goldnem Schlitten
auf einem Hirsch herangeritten!
»He, gute Frau, habt ihr noch Sachen,
die armen Menschen Freude machen?«
Des Försters Haus ist tief verschneit,
doch seine Frau steht schon bereit:
»Die sechs Pakete, heil'ger Mann,
's ist alles, was ich geben kann.«
Die Silberschellen klingen leise,
Knecht Ruprecht macht sich auf die Reise.
Im Försterhaus die Kerze brennt,
ein Sternlein blinkt – es ist Advent.

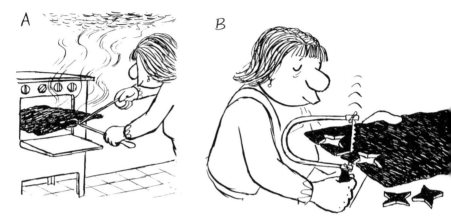

ZIMTSTERNE

3 Eiweiß schlagen, unter ständigem Rühren 250 g Puderzucker, 3 Tropfen Bittermandelöl, 1 Teelöffel Zimt, 325 g feingehackte Mandeln beigeben und alles gut durchkneten, Teig auf Backblech ausrollen und nach 6–8 Stunden aus dem Ofen nehmen (A). Dann beginnt Mutters beschauliche, vorweihnachtliche Laubsägestunde (B).

Merke: Zimtsterne, von Mutter handgesägt, schmecken immer noch am besten!

DACKEL IM SCHLAFROCK

Wir bereiten aus 450 g Kokosfett, 575 g Zucker, 8 Eiern, 200 g Kakao und 250 g geriebenen Mandeln einen bekömmlichen Nougat-Teig und geben den Liebling hinein (A). 5–6 Minuten kühl und ruhig stehenlassen. Dann mit Mandeln, Rosinen und Tannengrün festlich dekorieren (B). Auch das Tier soll wissen, daß Weihnachten ist.

Merke: Statt des Dackels kann man auch Neufundländer oder Meerschweinchen nehmen.

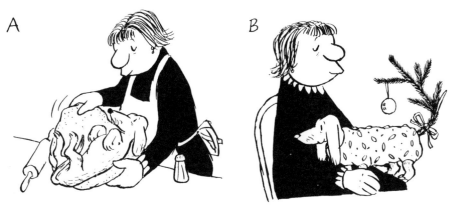

A

B

PAPA AUS MARZIPAN

40 kg süße und 6 kg bittere Mandeln stoßen und mit einigen Tropfen Rosenwasser sehr fein verreiben. Das Ganze mit 35 kg Zucker in einer Messingpfanne bei kleinem Feuer so lange rühren, bis der Finger nicht klebt, wenn man ihn draufdrückt. Dann vom Gatten, der die Augen geschlossen halten muß (Überraschung!), in zwei Hälften einen Gipsabdruck nehmen (A), die noch warme Marzipanmasse in die leere Form geben (B), nach Festwerden herauslösen und zusammensetzen. Über eine eventuelle Mißstimmung des Gatten, der anschließend längerer Schonung bedarf, hilft der Genuß von 83 kg hochfeinen Marzipans (Pfeil) spielend hinweg (C).

MARZIPANKARTOFFELN

In einer Fabrikhalle der Schwerindustrie interviewt der
Reporter Schmoller einen der Direktoren. Beide Herren tragen
Schutzhelme. Sie stehen neben Hunderten von Stahlarbeitern,
die damit beschäftigt sind, Marzipankartoffeln
in Geschenkpackungen abzufüllen.

SCHMOLLER Wir befinden uns hier in der Halle 3 der
Rhein-Ruhrstahl AG Duisburg-Ruhrort. Dieser Betrieb ist
der zweitgrößte Lieferant auf dem Spezialgebiet
gepanzerter Gefechtsfahrzeuge und der fünftgrößte
Rohstahlproduzent der Welt. Herr Direktor Benzheimer,
das Weihnachtsfest hat Sie veranlaßt, die Produktion
vorübergehend umzustellen. Was wird hier im Rhein-
Ruhrstahl-Zentralwerk zur Zeit produziert ...

BENZHEIMER Marzipankartoffeln ...

SCHMOLLER Marzipankartoffeln ... Herr Direktor, das ist sehr
interessant. Was war ausschlaggebend für die
Entscheidung, von Schützenpanzerwagen auf
Marzipankartoffeln umzusteigen?

BENZHEIMER Die Nachfrage, Herr Schmoller, die Nachfrage. Sie werden
verstehen, daß der Schützenpanzerwagen MS 08-72 auf
dem Gabentisch, auch in netter Form, nicht gern gesehen
ist. Unsere Herren im Außendienst haben festgestellt, daß
seit Anfang Dezember grade in Bundeswehrkreisen das
Interesse an gepanzerten Gefechtsfahrzeugen stark
zurückgegangen ist, während im gleichen Zeitraum die
Nachfrage nach Marzipankartoffeln um mehr als das
Dreifache zugenommen hat.

SCHMOLLER Aber waren da nicht rein technisch gesehen gewisse Schwierigkeiten zu ... äh ...

BENZHEIMER Herr Schmoller, rein produktionstechnisch besteht zwischen dem Gefechtsfahrzeug MS 08-72 und einer hochqualifizierten Marzipankartoffel kein nennenswerter Unterschied. Es ist letzten Endes einfach eine Geschmacksfrage ...

SCHMOLLER Ah ja ... aber wenn ich richtig informiert bin, hat die Marzipankartoffel im Ernstfall einen geringeren Kampfwert als der Schützenpanzer MS 08-72.

BENZHEIMER Sehr richtig, die Marzipankartoffel läßt sich natürlich nicht so ohne weiteres in das westliche Verteidigungssystem eingliedern. Aber das darf an den Feiertagen selbstverständlich keine Rolle spielen.

SCHMOLLER Nein, nein. Wie hoch ist zur Zeit Ihre Tagesleistung?

BENZHEIMER Herr Schmoller, gegenüber 35 Schützenpanzern im Monat November haben wir jetzt einen Ausstoß von 48 Marzipan-kartoffeln *pro Tag*. Diese enorme Produktionssteigerung war nur möglich durch den zusätzlichen Einsatz von fast 2000 Gastarbeitern. Unsere Belegschaft ist damit bis kurz vor den Feiertagen auf rund 6000 angewachsen.

SCHMOLLER Phantastisch – und haben Sie den Eindruck, daß die Marzipankartoffel der Duisburger Ruhrstahl AG den Produkten anderer Süßwarenkonzerne gleichwertig gegenübersteht?

BENZHEIMER Herr Schmoller, ich kann Ihnen versichern, daß unser Angebot sogar die Lübecker Ware qualitativ übertrifft. Außerdem ist die Rhein-Ruhrstahl-Marzipankartoffel natürlich rostfrei.

SCHMOLLER Ah ja, aber die Produktion pflegeleichter Süßware ist
offensichtlich nicht ungefährlich ...

BENZHEIMER Das ist eine gute Frage – Herr Schmoller – beim Abstich
der Marzipanmasse, die mit 2000 Grad den Hochofen
verläßt, ist äußerste Vorsicht geboten. Die Männer sind
verpflichtet, den Augenschutz zu tragen.

SCHMOLLER Und Helme ...

BENZHEIMER Jawohl. Die Helme bieten in der Montagehalle, auch gegen
herabfallende Marzipankugeln, ausreichend Schutz.

SCHMOLLER Herr Direktor, wann wird der Schützenpanzer MS 08-72
wieder in Produktion gehen?

BENZHEIMER Das regelt die Nachfrage, Herr Schmoller.
Wir können in 24 Stunden umstellen.

SCHMOLLER Ist daran gedacht ... ich meine ... wäre es denkbar, äh
... daß der Schützenpanzer ... der MS 08-72 ... künftig
weniger als Stahlkonstruktion, sondern vielmehr ... äh ...
mehr auf Marzipan-Grundlage ... ich weiß nicht, ob ich
mich da richtig ausdrücke ...

BENZHEIMER Gewiß, Herr Schmoller, das Marzipan als Ausgangsmaterial
für Panzerfahrzeuge *hat* seine Vorteile, nur haben wissen-
schaftliche Nachforschungen internationaler Friedens-
kommissionen ergeben, daß Marzipan in großen Mengen
ebenso unbekömmlich ist wie Schützenpanzerwagen – aber
bitte, Herr Schmoller, greifen Sie doch zu ...

SCHMOLLER Oh, sehr freundlich ... Herr Direktor Benzheimer,
ich danke Ihnen für dieses Gespräch ...

Auch wenn der vorrätige Artikel nicht ganz Ihren Wünschen entspricht, gilt es, rasch zuzugreifen, ehe Sie einen leeren Gabentisch riskieren.

Nutzen Sie für Ihre Einkäufe die ruhige Geschäftszeit zwischen 8.00 Uhr
abends und 5.00 Uhr morgens. Das überlastete Personal wird es Ihnen
danken.

DER FAMILIENBENUTZER

Meine Damen und Herren, gewiß, Heiligabend ist erst morgen, aber es kann immerhin nicht schaden, sich schon heute einmal ein paar Gedanken darüber zu machen, womit wir unseren Lieben aus Familie und Freundeskreis eine Freude machen könnten. In diesem Zusammenhang freuen wir uns, daß wir heute nachmittag Frau Direktor Bartels im Studio begrüßen konnten. Sie ist Alleinherstellerin eines neuartigen Geschenkartikels, der schon Ende dieser oder Anfang nächster Woche in allen einschlägigen Geschäften erhältlich sein dürfte. Chefreporter Kurt Rösner sprach mit ihr.

RÖSNER	Frau Direktor Bartels, Sie sind ...
FRAU BARTELS	Ich leite *das* führende Unternehmen der Geschenkartikelbranche und habe mir die Frage gestellt, weiß *überhaupt* jemand, was er seinen Lieben auf den Gabentisch legen soll? Niemand weiß das, gell?
RÖSNER	Hm ... hm ... und da haben Sie einen ...
FRAU BARTELS	Da habe ich *den* Bartelsschen Familien-Original-Benutzer herausgebracht, gell? Für den Herrn, für die Dame, für das Kind, gell?
RÖSNER	Ah-ja ... famos, wirklich wunderhübsch, gnä' Frau ... und was kann man, wie soll man ... ich meine, wozu ... äh ...
FRAU BARTELS	Bitte?
RÖSNER	Ich meine, wie benutzt man den ... äh ... Familienverwender?
FRAU BARTELS	Familien-Benutzer, Herr Rösner ... Familien-Original-Benutzer ... gell?
RÖSNER	Ah-ja ... Original-Familien-äh ...
FRAU BARTELS	Es ist ein Artikel, der schon durch seine gefällige Form anspricht, gell? Er ist formschön, wetterfest, geräuschlos, hautfreundlich, pflegeleicht, völlig zweckfrei und – gegen Aufpreis – auch entnehmbar. Ein Geschenk, das Freude macht, für den Herrn, für die Dame, für das Kind, gell?
RÖSNER	Soso ... Er ist also im weitesten Sinne als Familien-Gebraucher ...
FRAU BARTELS	Benutzer! ... Familien-Benutzer ... das sagte ich Ihnen doch schon, gell?
RÖSNER	Ich wollte ja auch eben sagen, man benutzt den Familien-Verwender weniger als Gebrauchs ...

FRAU BARTELS Sie sollen den Familien-Benutzer als Benutzer gebrauchen
… mein Gott, drücke ich mich denn so undeutlich aus …
RÖSNER Ich fragte ja auch nur, ob die Benutzung des Familien-
Verw … äh … die Verwendung des Familien-Benutzers nur
für den Familiengebrauch oder …
FRAU BARTELS Was?
RÖSNER *(schweigt irritiert – dann ganz ruhig)*
Ob Sie den Familien-Original-Benutzer nur als Familien-
Benutzer benutzen, oder ob beispielsweise auch im
Freundeskreis ein Gebrauch des Benutzers …
FRAU BARTELS Herr Rösner, ich befinde mich in einer Anstalt des
öffentlichen Rechts und lasse mich nicht in dieser Weise
von Ihnen provozieren, gell? …
Um es noch einmal in aller Deutlichkeit zu wiederholen:
Jeder halbwegs gebildete Mensch kann den Familien-
Original-Verwutzer bewenden, aber nicht als Bewender
verwutzen, gell?
RÖSNER Ah, ja … vielen Dank, Frau Direktor Bartels.
FRAU BARTELS Bitte … bitte.

SPIELWAREN

Opa Hoppenstedt betritt einen Spielwarenladen.
Er berührt eine kleine Guillotine. Das Fallbeil fällt,
der Kopf der Puppe wird vom Rumpf getrennt.

OPA Haben Sie Spielzeug? ... Zu Weihnachten ...
Für mein Enkelkind ...

VERKÄUFERIN ... Und was darf es da sein?

OPA Es muß ein bißchen was ... *(macht eine aufmunternde*
Bewegung mit dem Arm) ... nicht wahr ...

VERKÄUFERIN Wie alt ist denn das Kind?

OPA *(denkt nach)* ... Ungefähr so ... *(zeigt die Größe)*

VERKÄUFERIN Ein Junge oder Mädchen?

OPA *(denkt nach)* ... Tja ...

VERKÄUFERIN *(freundlich)* ... Na, Sie werden doch wohl wissen, ob Ihr
Enkelkind ein Junge oder ein Mädchen ist ...

OPA Wieso?

VERKÄUFERIN Wie heißt denn das Kleine?

OPA Hoppenstedt ... wir heißen alle Hoppenstedt ...

VERKÄUFERIN ... Und mit Vornamen?

OPA Dicki ... Dicki Hoppenstedt ...

VERKÄUFERIN ... und es ... es ist ein Mädchen?

OPA *(zögernd)* ... nee ...

VERKÄUFERIN Also ein Junge ...

OPA *(zweifelnde Bewegung mit der Hand)* ... Neeneeneenee ...

VERKÄUFERIN *(verblüfft)* Was denn nun?

OPA *(denkt nach)*... So genau kann ich das nicht sagen...

VERKÄUFERIN Wie ist es denn angezogen?...

OPA Hosen... blaue Hosen...

VERKÄUFERIN Na, vielleicht haben Sie es ja auch mal ohne Höschen
gesehen...

OPA Nein... wozu denn?... *(sieht sich scheu um)*...
Sagen Sie mal... was für ein Laden ist denn das hier?

VERKÄUFERIN *(zu umstehenden Damen)*... Ich hatte den Herrn nur
gefragt, ob sein Enkelkind ein Junge oder ein Mädchen
ist... *(zu Opa Hoppenstedt)* Wenn Ihr Enkelchen ein
Zipfelchen hat, könnte man immerhin...

OPA Zipfelchen?!

VERKÄUFERIN Mein Gott, dann hat es eben *kein* Zipfelchen...

OPA Mein Enkelkind hat *alles*, was es *braucht!* Gesunde Eltern
und ein anständiges Zuhause... und Zucht und Ordnung!
*(schlägt mit der Faust auf den Tisch, so daß sich eine Gruppe
Kleinspielzeuge schnarrend in Bewegung setzt)* Also haben Sie
nun Spielzeug für anständige Kinder oder nicht?
(schlägt auf den Tisch, das Spielzeug steht still)

VERKÄUFERIN *(nimmt ein Spiel aus dem Regal)*... Hier haben wir ein
neuartiges Spiel für Jungen und Mädchen im Alter von
fünf bis zehn Jahren... Das wird *sehr* gern genommen...
»Wir bauen uns ein Atomkraftwerk«... Da haben die
Kinder viel Spaß dran *und* die Eltern... es ist wirklich
etwas für die ganze Familie... *(öffnet das Spiel)*...
Hier ist die Spielanleitung... und das sind die einzelnen
Teile, die zusammengesetzt werden... die Brennkammer,
der Uranstab, Neutronenbeschleuniger, Kühlsystem
und die Sicherheitskuppel...

OPA Und was ist das?

VERKÄUFERIN Das sind Kühe, Häuser und Menschen für die Land-
schaft drumrum … alles wunderhübsch gearbeitet …!

OPA Kann das auch richtig explodieren?
(macht aufmunternde Handbewegung)

VERKÄUFERIN Ja … wenn man einen Fehler macht … gibt es auch eine
kleine Explosion … natürlich nicht richtig …
es ist ja für Kinder … Aber es macht Puff, und die Kühe
fallen um und die kleinen Häuser und Menschen …
da ist dann immer ein großes Halloo und viel Spaß …
Möchten Sie es mitnehmen? …

OPA Jawohl … *(summt eine Marschmelodie)*

VERKÄUFERIN 64 Mark 50 … *(holt ein verpacktes Exemplar)*
… Sie bekommen es originalverpackt …

OPA *(sucht nach Geld)* … Nehmen Sie auch Spielgeld?
(lacht albern)

VERKÄUFERIN Nein … *(tippt an der Kasse)*

OPA *(bezahlt)*

VERKÄUFERIN *(übergibt das Paket)* Ich wünsche Ihnen ein frohes Fest und
viel Freude mit dem schönen Spiel …

Opa entfernt sich mit dem Paket. Er summt einen Marsch,
wobei er den Schirm wie einen Tambourstab bewegt.
Kurz vor Erreichen der Türe bleibt er mit seinem Schirm
in einem großen unter der Decke befestigten Netz hängen.
Im Hagel herabfallender Bälle verläßt er den Laden.

HEILIGABEND

WEIHNACHTEN
BEI HOPPENSTEDTS

*Vati und Opa Hoppenstedt schmücken den Weihnachtsbaum,
an dem bereits schiefe Elektrokerzen hängen. Mutti Hoppenstedt hat
viele große rote Äpfel vor sich auf dem Wohnzimmertisch
und knotet Fäden an die Stiele. Jeden fertigen Apfel reicht sie
an Opa weiter, der ihn Vater Hoppenstedt übergibt.
Dicki, das Kind, ist acht Jahre alt und etwas rundlich.*

OPA … Früher war mehr Lametta!

VATI Dieses Jahr bleibt der Baum grün … naturgrün …

MUTTI … Mit frischen natürlichen Äpfeln …

VATI Naturfrisch und umweltfreundlich …

OPA … Und wann kriege ich mein Geschenk?

VATI Jetzt wird erst mal der Baum fertig geschmückt, dann sagt Dicki sein Gedicht auf, dann holen wir die Geschenke rein, dann sehen wir uns die Weihnachtssendung im Dritten Programm an, dann wird ausgepackt, und dann machen wir's uns gemütlich …

MUTTI Nein, Walter, *erst* holen wir die Geschenke rein, *dann* sagt Dicki sein Gedicht auf und wir packen die Geschenke aus, dann machen wir erst mal Ordnung, dabei können wir fernsehen, und *dann* wird's gemütlich …

OPA … Und wann kriege ich mein Geschenk?

VATI ... Oder wir sehen uns erst die Weihnachtssendung im Ersten
Programm an, packen dabei die Geschenke aus und machen
es uns dann gemütlich ... *(Der Baum fällt um)*
DICKI *(steht mit rausgestreckter Zunge in der Zimmertür)*
MUTTI Dicki, wirst du wohl in deinem Zimmer bleiben,
sonst wird der Weihnachtsmann ganz böse!
(steht auf und verläßt mit Dicki das Zimmer)
OPA *(richtet mit Vati den Baum auf)* Früher war mehr Lametta!
VATI ... Und dieses Jahr ist der Baum grün und umweltfreundlich.
MUTTI *(kommt mit festlichen Paketen herein, die sie auf zurechtgestellten
Tischen ablegt)* Fröhliche Weihnachten!
So, Kinder, es geht los ... Opa hilft mir jetzt ein bißchen,
und Vati knipst den Baum an ...
(verläßt mit Opa das Zimmer)
VATI *(kriecht an die Steckdose)* Ja doch ... *(Der Baum leuchtet)*
MUTTI *(bringt mit Opa weitere Arme voller Pakete ins Zimmer)*
Fröhliche Weihnachten ...
OPA Was?
MUTTI Fröhliche Weihnachten!
VATI Fröhliche Weihnachten ... *(verläßt das Zimmer)*
MUTTI Dicki, wo steckst du denn?
DICKI *(tritt mürrisch ins Zimmer)*
MUTTI Fröhliche Weihnachten, mein Schatz!
VATI *(kommt mit weiteren Paketen)* Fröhliche Weihnachten ...
*(stellt den Fernseher an, auf dem ein Weihnachtsbaum erscheint.
Stimmungsvolle Weihnachtsmusik mit Kinderchor)*
MUTTI Dicki möchte uns ein Gedicht aufsagen ...
(Vati, Mutti und Opa sehen erwartungsvoll auf Dicki)
DICKI Zicke-Zacke Hühnerkacke ...
OPA *(kichert und verläßt das Zimmer)*

MUTTI Nein, das nicht!

VATI ... Und jetzt wird ausgepackt!

(Vati, Mutti und Dicki beginnen auszupacken)

OPA *(setzt sich im Flur eine rote Zipfelmütze auf, zieht Fausthandschuhe und einen roten Bademantel an, hängt sich einen weißen Bart um, wirft sich einen Sack über die Schulter, nimmt eine Rute und klopft an die Wohnzimmertür)*

MUTTI Ja, wer mag denn das wohl sein?

VATI Herein!

OPA *(kommt schweren Schrittes als Weihnachtsmann herein und bleibt vor Dicki stehen)* Na, Dicki ...

DICKI *(hält sich die Augen zu und streckt die Zunge raus)*

VATI Dicki!

MUTTI Schau mal, wer da ist!

DICKI Opa ...

OPA *(reißt sich die Mütze vom Kopf und den Bart ab)* Ich will jetzt mein Geschenk haben ...

VATI *(gereizt)* Hier ist dein Geschenk, Opa, und nun sei ein *bißchen* gemütlich!

(Die Familie packt hastig aus. Es wächst ein Berg von Kartons, Weihnachtspapier, Packpapier, Klarsichtfolie, Holzwolle, Styropor, Bindfäden, Glückwunschkarten, bunten Bändern, Goldschnüren, Tannenzweigen und Wellpappe)

MUTTI Schau mal, Walter, ein Heinzelmann-Saugblaser, originalverpackt!

VATI ... Eine Krawatte! *(zeigt eine styroporverpackte Krawatte, die er zu vielen anderen styroporverpackten Krawatten legt)*

DICKI *(spielt mit Kartons)*

OPA *(läuft zwischen den Auspackenden hin und her und zeigt sein Geschenk)* Guck mal, ein Plattenspieler!

MUTTI Damit du deine Lieblingsplatte immer schön in deinem
Zimmer spielen kannst! Kinder, seht euch den Baum an ...

OPA Früher war da mehr ... na ... Dings ...

VATI Schau mal, eine Krawatte! *(legt sie zu den anderen)*

OPA *(den Plattenspieler mit der Platte in der Hand, zieht den Stecker für
die Elektrokerzen heraus; es wird dunkel)*

VATI Ach nee, Opa ...

OPA Ich will meine Platte spielen ...

VATI Du suchst dir sofort eine andere Steckdose ...
(Der Weihnachtsbaum geht wieder an)

OPA Seid doch nicht so ungemütlich ... *(bläst sich einen Marsch und
geht mit dem Plattenspieler zu einer anderen Steckdose)*

VATI *(hebt eine weitere Krawatte hoch)* Schau mal, eine Krawatte!

MUTTI ... Kinder, ist das gemütlich bei uns ...!

OPA *(hat den Plattenspieler in Gang gesetzt und stößt zu schmetternder
Marschmusik seine Faust rhythmisch in die Luft)*

VATI *(gegen die Musik anschreiend und ein weiteres Krawattenpaket öffnend)*
Ach nee ... Opa! Sei jetzt gemütlich und guck
in den Fernseher!

OPA Ja ... ja ... ja ... ja ... ja ...
(schaltet den Plattenspieler ab und setzt sich vor den Fernseher)

MUTTI Opa, guck dir doch lieber mal den Baum an!

OPA *(vor dem Bildschirm)* Tu ich ja ...

MUTTI Spielt Vati jetzt wohl mit Dicki das schöne neue Spiel?

VATI *(geht zu Dicki)* ... Schau mal, Dicki! ...
(hebt den Deckel des Spieles hoch) Wir bauen uns ein Atomkraftwerk! Das sind Bäume, Häuser, Kühe und Menschen
... die möchten gern ein schönes Atomkraftwerk haben ...
und *da* bauen wir es hin ... *(Vati beginnt zu bauen)*

MUTTI Entzückend, die beiden …

Ach, wenn doch jeden Tag Weihnachten wäre …!

VATI *(mit der Spielanleitung in der Hand die einzelnen Teile zusammensetzend)* … Das ist der kleine Neutronen-Beschleuniger und das Kühlsystem … Schau doch mal, Dicki, ist das nicht niedlich? Dicki! … Guck doch mal! …

Also spielst du nu mit oder nicht … Dicki, ich rede mit dir … sieh mal … das ist die Brennkammer …

(Dicki stößt mit dem Finger an eine Kuh) Nicht die Kuh umwerfen! Schäm dich, Dicki … Du hast die Kuh umgeworfen! *(stellt Kuh wieder auf)* … Und jetzt stecken wir diesen winzigen Uranstab ganz vorsichtig in die Brennkammer und setzen die Sicherheitskuppel oben drauf … fertig!

MUTTI *(kniet sich dazu)* Darf Mutti auch mal zugucken?

VATI Wenn wir irgendwas falsch gemacht haben,

dann soll es jetzt »Puff« machen …

MUTTI Wieso »Puff«?

VATI Mein Gott, es macht eben »Puff« … dann fallen

alle Häuser um und alle Kühe und Menschen …

MUTTI Phantastisch!

VATI Aber es macht *nicht* »Puff« …!

(Das kleine Atomkraftwerk explodiert und durchschlägt den Fußboden. Durch das Loch sieht man im darunterliegenden Stockwerk ein älteres Ehepaar beim Essen.)

VATI Es hat »Puff« gemacht!

MUTTI Entzückend!

VATI *(durch das Loch nach unten)*

Familie Hoppenstedt wünscht frohe Feiertage …

EHEMANN *(mit Nachdruck heraufrufend) Muß* … das … sein?!

VATI *(durch das Loch)* Jawohl, es *muß* sein!

Das ist nämlich ein Kinderspiel, und Weihnachten ist das Fest des Kindes ... guten Abend ...

(richtet sich auf, zur Familie) Kommt, wir legen was drüber ...

(legt mit Mutti Weihnachtspapier über das Loch)

MUTTI Vati, wir sind stolz auf dich!

VATI Ich habe keine Lust, mich Heiligabend mit diesen Spießern rumzuärgern!

MUTTI So, Kinder, jetzt machen wir's uns gemütlich!

VATI ... Erst wird aufgeräumt ...

(lädt sich einen Haufen Kartons auf die Arme und verläßt das Zimmer)

MUTTI ... Und du gehst jetzt ins Bett, Dicki

... wenn's am schönsten ist, soll man aufhören!

(sie ergreift Verpackungsabfälle und geht zu Vati in den Flur)

OPA *(marschiert zu den Klängen der Marschmusik durchs Zimmer, tritt in das abgedeckte Loch und bleibt mit einem Bein bis zur Hüfte darin stecken)*

VATI *(beladen im Flur)* Wir stellen einfach alles ins Treppenhaus ... mal sehen, ob die Luft rein ist ...

(öffnet vorsichtig die Wohnungstür. Eine Lawine von Verpackungsmüll stürzt in den Flur und begräbt Vati und Mutti unter sich. Ein Weihnachtschor mischt sich mit anschwellender Marschmusik)

HEILIGABEND

FÜR OMA UND OPA

Das Taschen-Fernsehgerät ›Philharmonie‹ (A) ist der Weihnachtsschlager einer süddeutschen Firma. Die Testpersonen, ein Rentnerehepaar aus Wanne-Eickel, erklärten allerdings nach mehrmonatiger Prüfung des Fernsehprogrammes (B), sie hätten zu Weihnachten statt dieses TV-Gerätes (Pfeil) doch lieber Cognacbohnen.

Als kleines Mitbringsel sollte der Nadelfestiger im eleganten Zerstäuber-Flakon unter keinem Christbaum fehlen. Das wohlriechende Mittel (A) hält trockene Fichten bis in den Sommer zimmerfrisch und verleiht dem Baumschmuck straffen Sitz in jeder Haltung (B).

Wer gewohnt ist zu rechnen, bevorzugt das sensationelle Sonderangebot: Handgeflochtene Bast-Untersetzer mit künstlerisch eingearbeitetem Weihnachtsmotiv. Der Ladenpreis beträgt DM 18,50 pro Stück. Bei Abnahme von 2500 Stück verringert sich der Einzelpreis auf DM 0,95. Ein stimmungsvoller Artikel für jeden Gabentisch (Pfeil: der Weihnachtsbaum).

FÜR UNSERE KLEINEN

Die Rakete ›Saturn Junior‹ zum Selbstmontieren für Acht- bis Zwölf-
jährige (im Geschenkkarton DM 97,70). Eine leichtfaßliche Anleitung
ermöglicht auch unbegabten Kindern die Montage des kleinen Raum-
schiffes in wenigen Minuten (A). Es muß befürchtet werden, daß
geräuschempfindliche Eltern den Verlauf des Weihnachtsfestes als unhar-
monisch empfinden (B).

Seit jenem Weihnachtsabend 1957 blieb eine gewisse Entfremdung
zwischen Sohn und Eltern deutlich spürbar.

Das abgebildete Kleinkind Sabine fand zu den aufwendigen Gaben der Eltern keine innere Beziehung (A).

Dagegen zauberte das Geschenk eines älteren Patenonkels, ein in letzter Minute eintreffender Edelstahlhammer, sofort den erhofften weihnachtlichen Glanz in Sabines Kinderaugen (B).

Durch den angeborenen Herzenstakt und die menschliche Güte eines Handwerkers erfüllte sich der seit Monaten gehegte Lieblingswunsch eines Dortmunder Warenhausbesitzers und seiner Gattin. In den Abendstunden des 24. Dezembers begann Malermeister Paul E. Kuhn mit der ersehnten Wohnungsrenovierung.

In begüterten Kreisen herrscht oft ein warmes Empfinden für die leiden-
de Tierwelt. Die Köchin des Frankfurter Industriellen-Ehepaares Dietrich
und Irmgard K. besann sich anläßlich des Weihnachtsfestes auf diesen
Umstand und bereitete ihrer Herrschaft zum Abendessen am 1. Feiertag
eine ungemein freudige Überraschung.

SILVESTER

Schweine über eine gewisse Größe werden nicht mehr als Glücksschweine angesehen.

Merke: Ein großes Schwein ist schlimmer als viele kleine.

Also, Hermann, du kannst dich über das alte Jahr nun wirklich nicht beklagen. Als die Waschmaschine kaputtging, waren wir sehr froh, daß wir uns endlich eine neue anschaffen konnten. Und wenn mir der Fernsehapparat nicht runtergefallen wäre, hätten wir heute immer noch kein Farbgerät.

Dann haben wir auch für den Mercedes sehr günstige Abzahlungsbedingungen bekommen, bloß weil ich mit dem Vertreter die zwei Wochen nach Paris gefahren bin.

Und es war ja ein Glück, daß dir der Führerschein für zwei Jahre entzogen worden ist. Jetzt trinkst du wenigstens nicht mehr, und ich brauche den Wagen sowieso dauernd, wenn ich zum Reiten muß oder in den Tanzkurs.

Und stell dir bitte vor, ich hätte das Magengeschwür bekommen und nicht du! Wer hätte wohl die ganzen Stellungsgesuche schreiben sollen, seit du Pleite gemacht hast!

Und außerdem hat deine Frau in die Scheidung eingewilligt, und wir können jetzt endlich heiraten. Ich weiß wirklich nicht, was du hast.

1. Januar 0 Uhr 01

VORSÄTZE

SIE SOLLTEN ...

... weniger Parkraum beanspruchen,

älteren Herrschaften beim Überqueren der Straße behilflich sein,

sich gelegentlich um die Nachbarn kümmern,

Ihren Mitmenschen auch mal was gönnen,

im Büro eine neue Idee entwickeln...

... und in kritischen Situationen die Sache selbst in die Hand nehmen ...

... DANN SIEHT DAS LEBEN GLEICH GANZ ANDERS AUS!

... einfacher leben,

etwas mehr auf das Gewicht achten,

häufiger einen Obsttag einlegen,

und sich mehr Bewegung machen,

aber auch das Geistige nicht vernachlässigen,

sich ein dickes Fell anschaffen,

lieber noch Junggeselle bleiben,

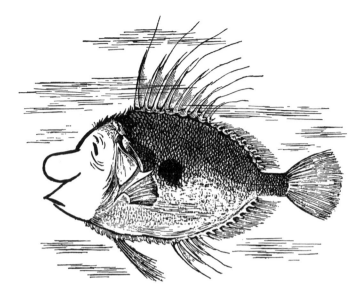

stets einen kühlen Kopf behalten,

dem Chef mal gründlich die Meinung sagen ...

... und das Leben genießen!

OB SIE ...

... Hindernisse überwinden

oder unterwandern,

ob es aufwärts

oder abwärts geht,

ob Sie das Leben leichter ...

oder schwerer nehmen,

ob Sie einen Umweg

oder den direkten Weg wählen,

ob Sie sich gehenlassen …

... auf den Hund kommen

oder den Kopf verlieren ...

... Sie werden sich durchsetzen!

*Bitte beachten Sie auch
die folgenden Seiten*

Loriot
im Diogenes Verlag

»Was ich an Loriot mag, ist seine Intelligenz. Was ich am meisten an seinem Werk bewundere, ist die Art, wie gut alles gemacht ist – wie gut es gearbeitet ist, hätte ich beinahe gesagt, als wäre er ein Handwerker, ein Goldschmied etwa –, und meine damit nicht einen Oberflächenglanz, sondern das Wohldurchdachte, das durch und durch Ausgetüftelte, das mit Raffinement und größter Sorgfalt Erzeugte seiner Produktion.«
Patrick Süskind

Loriots Gesammelte Werke
in vier Bänden in Kassette. Alle Bände auch als Einzelausgaben:

Loriots Großer Ratgeber
500 Abbildungen und erläuternde Texte geben Auskunft über alle Wechselfälle des Lebens

Loriots Heile Welt
Neue gesammelte Texte und Zeichnungen zu brennenden Fragen der Zeit, erstmals ›Loriots Telecabinet‹

Loriots Dramatische Werke
Texte und Bilder aus sämtlichen Fernsehsendungen seit ›Loriots Telecabinet‹

Möpse & Menschen
Eine Art Biographie

Loriot in Worten und Bildern
in zwei Bänden in Kassette. Beide Bände auch als Einzelausgaben:

Gesammelte Prosa
Alle Dramen, Geschichten, Festreden, Liebesbriefe, Kochrezepte, der legendäre Opernführer und etwa zehn Gedichte. Mit einem Vorwort von Joachim Kaiser und einem Nachwort von Christoph Stölzl

Gesammelte Bildergeschichten
Über das Rätsel der Liebe – Vater, Mutter, Kind – Menschen auf Reisen – Umgang mit Tieren – Autos – Herren und Hund – Beruf und Büro – Sport – Haus und Garten – Weihnachten und andere Feste – Manieren und Kultur und vieles andere in 1345 Zeichnungen

Sehr verehrte Damen und Herren...
Bewegende Worte zu freudigen Ereignissen, Kindern, Hunden, weißen Mäusen, Vögeln, Freunden, Prominenten und so weiter. Herausgegeben von Daniel Keel. Ausführlich erweiterte und vollständig überarbeitete Neuausgabe

Loriot
Katalog zu Loriots 70. Geburtstag. Mit einem Vorwort von Patrick Süskind und einem Nachwort von Loriot

Herren im Bad
und sechs andere dramatische Geschichten

Große Deutsche
Circa acht Portraits. 12 Einzelblätter in Mappe

Das Frühstücksei
Gesammelte dramatische Geschichten mit Doktor Klöbner und Herrn Müller-Lüdenscheidt, Herrn und Frau Hoppenstedt, Erwin Lindemann u.v.a.